Magali em Outras VIDAS

Dados Internacionais de Catalogação na Publicação (CIP)
(Câmara Brasileira do Livro, SP, Brasil)

> Sousa, Mauricio de
> Magali em outras vidas / Mauricio de Sousa ; ilustração Emy T. Y. Acosta, consultores, Luis Hu Rivas e Ala Mitchell. -- 1. ed. -- Catanduva, SP : Instituto Beneficente Boa Nova, 2016.
>
> ISBN 978-85-8353-057-2
>
> 1. Espiritismo - Literatura infantojuvenil 2. Kardec, Allan, 1804-1869 3. Literatura infantojuvenil I. Acosta, Emy T. Y.. II. Rivas, Luis Hu. III. Mitchell, Ala. IV. Título.
>
> 16-05435   CDD-028.5

Índices para catálogo sistemático:

1. Espiritismo : Literatura infantil   028.5
2. Espiritismo : Literatura infantojuvenil   028.5

Equipe Boa Nova

Diretor Presidente:
Francisco do Espirito Santo Neto

Diretor Editorial e Comercial:
Ronaldo A. Sperdutti

Diretor Executivo e Doutrinário:
Cleber Galhardi

Editora Assistente:
Juliana Mollinari

Produção Editorial:
André L. L. de Oliveira e Ana Maria Rael Gambarini

Coordenadora de Vendas:
Sueli Fuciji

2016
Direitos de publicação desta edição no Brasil reservados para Instituto Beneficente Boa Nova entidade coligada à Sociedade Espírita Boa Nova
Av. Porto Ferreira, 1031 | Parque Iracema
Catanduva/SP | 15809-020 | Tel. (17) 3531.4444
www.boanova.net

O produto da venda desta obra é destinado
à manutenção das atividades
assistenciais da Sociedade Espírita Boa Nova,
de Catanduva, SP.
7ª edição
Do 43º ao 48º milheiro
5.000 exemplares - Agosto/2024

Estúdios Mauricio de Sousa

Presidente: Mauricio de Sousa

Diretoria: Alice Keico Takeda, Mauro Takeda
e Sousa, Mônica S. e Sousa

Mauricio de Sousa é membro
da Academia Paulista de Letras (APL)

Direção de Arte
Alice Keico Takeda

Diretor de Licenciamento
Rodrigo Paiva

Coordenadora Comercial
Tatiane Comlosi

Analista Comercial
Alexandra Paulista

Editor
Sidney Gusman

Layout
Robson Barreto de Lacerda

Revisão
Ivana Mello

Editor de Arte
Mauro Souza

Coordenação de Arte
Irene Dellega, Maria A. Rabello,
Nilza Faustino, Wagner Bonilla

Produtora Editorial
Juliana Bojczuk

Desenho
Emy T. Y. Acosta

Arte-final
Clarisse Hirabayashi, Romeu Furusawa

Cor
Giba Valadares, Kaio Bruder,
Marcelo Conquista, Mauro Souza

Designer Gráfico e Diagramação
Mariangela Saraiva Ferradás

Supervisão de Conteúdo
Marina Takeda e Sousa

Supervisão Geral
Mauricio de Sousa

Condomínio E-Business Park - Rua Werner Von Siemens, 111
Prédio 19 — Espaço 01 — Lapa de Baixo — São Paulo/SP
CEP: 05069-010 - TEL.: +55 11 3613-5000

© 2024 Mauricio de Sousa e Mauricio de Sousa
Editora Ltda. Todos os direitos reservados.
www.turmadamonica.com.br

Prefácio

O amor, a maior força do Universo

Será possível que nós tenhamos vivido em outras épocas? Nossos gostos e medos teriam origem em "outras vidas"? E os nossos amores... poderiam ter começado no passado?

Já pensou se desse para viajar no tempo e descobrir por que o Cebolinha troca as letras? Ou como teve início o medo de água do Cascão, a genialidade do Franjinha e até a força da nossa dona da rua?

Imagine como seria legal descobrir todos esses mistérios e saber que tudo no universo tem um início, uma causa.

Pensando nisso, *Magali em Outras Vidas* reconta, em forma de livro ilustrado, a história Reencarnação, publicada em quadrinhos há muitos anos.

Entao, mergulhe nesta narrativa romântica e muito engraçada. Uma viagem pelo tempo que mostra que o amor é a maior força do universo.

Luis Hu Rivas e Ala Mitchell
Consultores do livro *Magali em Outras Vidas*

REENCARNAÇÃO

Nossa história começa há muitos e muitos anos, na Antiga Espanha, onde dois jovens apaixonados faziam juras de felicidade e amor eterno. Eles estavam sobre uma ponte, quando prometeram ficar juntos para sempre. E parecia, realmente, que estavam certos disso.

O tempo passou e eles seguiram felizes. Mas como tudo que é bom em algum momento acaba, chegou o fatídico dia em que os inimigos do reino atacaram o vilarejo onde os jovens apaixonados viviam. Ele morreu na batalha e foi assim que o relacionamento dos dois abruptamente encontrou um fim.

Foi nessa época que a donzela passou a comer exageradamente, tentando esquecer o seu amor perdido. Os mais deliciosos manjares, os mais suculentos assados, de tudo ela comia e nada a fazia esquecer a dor da perda de seu companheiro.

A jovem acabou morrendo de tristeza. Mas, antes disso, sempre pensava que eles deveriam ficar juntos novamente, numa próxima encarnação.
E assim aconteceu.

Centenas de anos depois, lá estava a nossa bela donzela, linda e rica. Já o seu companheiro, desta vez, era um rapaz que, apesar de simpático, era muito pobre. Por isso, a família dela jamais aceitou o estranho amor que ela sentia por aquele engraxate maltrapilho. Assim, novamente, a jovem comeu sem parar para esquecer seu amor proibido.

    Essa história tem se repetido de gerações em gerações: eles se reencontram e, por um motivo ou outro, se separam novamente. Então, só resta a ela a comida, a única coisa que consegue aplacar o sofrimento de viver sem seu amado.

    Mas por que todas essas histórias de reencarnação tinham sempre que terminar de maneira triste?

    Bem, talvez nem tudo esteja perdido. Talvez, na próxima vida, eles tenham a chance de ser felizes. Quem sabe?

Tempos depois, a turminha está na praia e Magali devora uma melancia:

— Já terminou essa melancia, Magali? — diz Mônica. Podemos continuar a nossa brincadeira?

— **Implessionante**! Ela **demolou** mais de um minuto **pla** comer. — comenta Cebolinha, impaciente.

— Vamos lá, Mônica! Joga essa bola! — fala Magali, toda animada.

— Lá vai! — grita a Mônica, que bate com tanta força na bola, que a Magali precisa correr muito longe para pegá-la de volta.

— **Selá** possível? Já é a décima quinta vez, só na última meia **hola**, Mônica! — reclama o Cebolinha.

Quando a Magali finalmente encontra a bola, ela é interrompida por um menino:

— Ei, ei! Aonde você pensa que vai com a minha bola?

— Sua, nada! Olha só: ela tem a cara do ursinho Bilu! — se defende Magali.

— Exatamente! Esta é a minha bola do ursinho Bilu! Aquela ali é a sua! — o menino aponta alguns metros adiante.

Envergonhada, Magali fala:

— Hê, hê, que demais! Você também tem uma bola do ursinho Bilu?

— Tenho, por quê? — responde o garoto.

— Achei legal, porque tem uns meninos bobos que acham que o ursinho Bilu é coisa de menina. Sabem de nada, inocentes! — completa Magali.

— Magali! Magali! Aposto que está comendo de novo! — repreende a Mônica. Magali se explica:

— Não, Mônica! Eu estava conversando com este menino. Sabia que ele tem uma bola do ursinho Bilu igual a minha?

Mônica se empolga:

— Sério? Você podia ensinar umas coisas para uns bobões que conhecemos.

— Ei, menino. Você não quer brincar com a gente? — convida a comilona, enquanto voltava com a Mônica.

— Sério mesmo? Posso? — se empolga o garoto.
— Claro! Não sei por quê, mas eu fui com a sua cara! A gente não se conhece de algum lugar? — pergunta Magali.

Mônica, o menino e Cebolinha se divertem com a bola e, quando percebem, a Magali sumiu. Todos ficam preocupados.

— **Selá** que ela foi engolida por um **monstlo** de **aleia**? — diz Cebolinha escavando a areia.

— Magali? Magali? — grita Mônica.

— Eu vou perguntar pro vendedor de picolés — avisa o menino.

E não é que ele estava certo? A comilona estava enfiada no carrinho de sorvetes! O menino se espanta ao ver quantos picolés ela comprou:

— Magali? O que é isso? — pergunta o garoto.

— Ora, picolé! Nunca viu? É uma delícia! É um tipo de suquinho congelado com um palito no meio e... — se empolga Magali.

— Eu sei o que é um picolé! Só perguntei o que você está fazendo! — continua o menino.

— Ora, eu fiquei com muito calor e resolvi dar uma saidinha para me refrescar um pouco! — disse a comilona.

— Um pouco? Aí tem um picolé pra cada pessoa que está nesta praia... — estranhou o menino.

— Ai, que crica! O Quinzinho nunca reclamou, tá? — desdenhou Magali.

— Quinzinho? Quem é esse cara? — quis saber o garoto.

E Magali nem pestanejou:

— É o filho do dono da padaria, meu bem! Ele sempre me dá tudo que eu quero: picolés, sorvetes, biscoitos, rocamboles... além disso tudo, sempre me compra pipoca no cinema, doce de abóbora na pracinha, algodão-doce... O que você tá procurando?

Enquanto Magali falava, o menino procurava algo nos bolsos de seu calção, até tirar um cartão.

Curiosa, Magali pergunta:

— O que vai fazer com esse cartão?

— Na praça de alimentação daquele shopping, bem em frente à praia, tem uma área de jogos! E, com este cartão, dá pra se divertir à beça nos fliperamas! Vem comigo?

Magali e o menino passam horas brincando com os jogos, dançando e cantando. É como se eles já tivessem se encontrado em outras vidas. Magali está muito feliz:

— Há! Há! Há! Arrasamos! — fala Magali.

— Eu não sabia que curtia tanto esses joguinhos! — diz o menino.

— Nem eu! É que o Quinzinho não gosta, aí a gente nunca brinca! — responde Magali.

Então, os dois procuram Mônica e Cebolinha, mas não encontram ninguém. E a comilona comenta:

— Ué? Cadê o pessoal? Será que eles foram embora?

O menino vê um vendedor de pastéis e tem uma ideia:
— Ei, olha só! Ainda sobraram umas moedas. Quer dividir um pastel comigo?
— Não, obrigada! Eu estou sem fome — diz Magali.
— Você é quem sabe! — afirma o garoto.

Em seguida, ele compra o pastel e, quando começa a comer, Magali se apavora, grita e sai correndo:

— Socooooorrooooo! Eu preciso de um médico!

— Magali! O que foi? Do que você está falando? — se espanta o menino, correndo atrás da amiga.

A comilona parou de correr bem no alto de uma encosta. Ela estava confusa:
— Você não entende! Eu nunca recusei comida! Devo estar doente ou...
Tremendo muito, ela perde o equilíbrio e cai no mar. O menino ainda grita:
— Magali, cuidado!

Muito assustada, a comilona pede ajuda:
— Vá buscar ajuda! Eu não sei nadar!

O garoto tenta acalmá-la!

— Magali, olha só...

Cada vez mais desesperada, Magali aumenta o drama:

— É o fim! É o fim! Adeus, mundo cruel!

Então, ela percebe um bebê ao seu lado e nota que está em uma parte bem rasa da praia. É quando o menino a encontra:

— Ô, Magali, era isso que eu queria dizer: aqui é rasinho, é só ficar em pé!

Logo o menino ajuda a envergonhada Magali a sair da água:

— Que mico, hein?

— Desculpinha, hê, hê, hê! — responde Magali.

Passado o susto, os dois andam pela praia e Magali tenta disfarçar:

— Acho que, no fim, não tinha nada de errado comigo.

— Claro que não! Olha só pra você! Está perfeita! — elogia o menino.

— Ah, para com isso! — se encabula Magali.

— Mas é verdade! Você é muito bonita. Muita gente já deve ter dito isso — continua o garoto.
— Bom, na verdade, o Quinzinho... — diz Magali.

Nesse momento, a conversa é interrompida pela chegada de Quinzinho, que traz uma cesta de guloseimas:

— Ô Magali! Olha só o que eu trouxe! Demorei porque estava preparando esta cesta, com tudo que você gosta: rocambole de goiaba, bolo de chocolate com recheio de baunilha, biscoitos de polvilho, folheados de...

Bem ao seu estilo, Magali toma a cesta das mãos de Quinzinho e devora tudo rapidamente, sem pestanejar:

— Tá pra mim!

— Sabia que ia gostar! — comenta Quinzinho.

— Quem é esse aí? — pergunta o pequeno padeiro, encarando o menino.

Rapidamente, Magali faz as apresentações:

— Ah, é! Quinzinho, esse é o garoto que me salvou! Garoto que me salvou, esse é o Quinzinho!

— Muito prazer! Vamos, Magali! O pessoal estava procurando você em tudo que é lugar... — fala Quinzinho.

— Eu já vou! Espera só eu me despedir! — responde Magali.

Assim, Magali se aproxima do menino e fala:

— Valeuzão, garoto! Obrigada por me salvar. Tchau! A gente se vê!

Enquanto Magali se afasta, o garoto permanece parado, sem reação. Até que sai correndo e:

— Mas... eu não te salvei... Magali! Magali! Espera um pouco!

— O que foi? Esqueceu alguma coisa? — pergunta a comilona.

— Não é isso! Por favor, me escuta: só queria dizer que gosto muito de você. É sério! Não sei se você acredita nessas coisas de reencarnação, mas só pode ser isso! — se declara o menino.

Ele segue o seu discurso, emocionado:

— No momento em que vi você, parecia que a gente já se conhecia fazia muito tempo. Eu sei que, de alguma maneira, as nossas histórias estão ligadas. Mas, por alguma razão, você parece querer evitar isso! Talvez seja porque não sou filho do dono da padaria! Não posso dar todos esses bolos e doces que você tanto gosta!

O menino se aproxima e pega a mão de Magali, que ouve tudo atenta:

— Eu tenho medo de pedir pra você largar tudo isso só pra ficar comigo... porque não aguentaria ouvir um "não", vindo de você. Então é melhor eu ir embora! Adeus!

Magali fica paralisada na praia, enquanto o menino corre até a sua família. Ela o vê entrar no carro e partir. É quando o Quinzinho chega:

— Magali? Vem logo, menina! Lá em casa tem um monte de esfirras e...
Mas Quinzinho nota que ela está incomodada:
— Magali, que bicho mordeu você? O que aconteceu?

Então, a comilona, bastante confusa, olha pro Quinzinho e pro carro que se vai, alternadamente, e fala:

— Sim! Eu ia dizer "sim"!

— Hein? Não estou entendendo nada! Você está bem? — responde Quinzinho, sem desconfiar de nada e pegando-a pela mão. — Deve ser fome! Vem! Eu tenho umas melancias ali no carro!

É, parece que a história termina aqui. Mais uma vez, os dois jovens tentaram, mas as circunstâncias do destino separaram suas vidas. A nós, só resta esperar e torcer para que, num futuro próximo, eles voltem a se reencontrar e que, finalmente, possam cumprir suas juras de felicidade e amor eterno. Afinal, essas histórias de reencarnação não podem sempre acabar em sofrimento, não é mesmo?

Curiosidades

A Magali é uma das personagens mais queridas pelos leitores da *Turma da Mônica*. Ela tem o mesmo nome da filha de Mauricio de Sousa, que garante que o apetite das duas é igualzinho.

Para se ter ideia da força da Magali junto aos fãs, a edição nº 6 de sua revista, pela Editora Globo, em julho de 1989, vendeu mais que a da Mônica, que sempre liderou esse *ranking*. Para comemorar, Mauricio bolou uma capa em que a comilona aparece "batendo" na dentucinha.

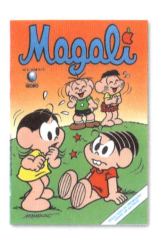

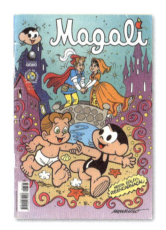

Originalmente, a história que você acabou de ler foi publicada em quadrinhos e com o título *Reencarnação*. Isso aconteceu na edição nº 368 do gibi *Magali*, da Editora Globo, em janeiro de 2004.

Quem escreveu *Reencarnação*, que tinha 23 páginas de quadrinhos em sua versão original, foi o roteirista Emerson Abreu. Os desenhos da história são de José Aparecido, a arte-final de Kazuo Yamassake e as letras de Carlos Kina.

Para produzir este livro ilustrado nas suas mãos, o texto da história em quadrinhos foi todo vertido para prosa. Como não existem mais os balões, é preciso retratar os diálogos de outra maneira, com o uso de travessões antes de cada fala.

Outra diferença em relação ao original está no visual do garotinho que diz estar apaixonado pela Magali. No livro, ele é um pouquinho maior que a comilona. Mas sua essência permaneceu inalterada.

Esta história fez tanto sucesso desde que foi lançada, que na internet há vários textos e vídeos a respeito dela, mostrando detalhes e contando como o amor do garotinho pela Magali pôde atravessar tantas encarnações.

Uma piada visual da versão em quadrinhos que foi replicada aqui é a presença de elementos corriqueiros da Turminha em diversas épocas, como a Mônica correndo atrás do Cebolinha para dar uma lição nele.

Reencarnação nunca foi republicada em quadrinhos. Esta é a primeira vez que ela retorna, agora num novo formato.

Uma curiosidade: o Ursinho Bilu, que aparece nas bolas das crianças, é um personagem que as crianças adoram nas historinhas. Ele apareceu pela primeira vez em *Cebolinha 167*, da Abril, em 1986.

O livro *Meu Pequeno Evangelho*, dos autores Luis Hu Rivas e Ala Mitchell, publicado em 2014 pela editora Boa Nova, em parceria com Mauricio de Sousa Produções, tornou-se um sucesso em pouco tempo. A primeira tiragem esgotou ainda na semana de lançamento.

Era hora, portanto, de pensar num novo projeto. Durante uma pesquisa de temas, os autores encontraram a história *Reencarnação*, da Magali. E imediatamente nasceu a ideia de transformá-la em um livro, mantendo a essência da obra original.

A reencarnação faz parte da vida de muitas culturas e civilizações. Sócrates e Platão já tratavam do assunto desde a antiguidade. Os druidas, por exemplo, faziam empréstimos para pagar na próxima vida, e divulgavam a frase "Nascer, morrer, renascer, progredir sempre, tal é a lei." Até hoje, notáveis cientistas e pesquisadores de universidades renomadas se aprofundam no assunto, tentando desvendar os mistérios do passado.

Assim, as possíveis "outras vidas" da Magali, além de presentear o leitor com uma história bem-humorada, apresenta uma linda mensagem sobre a força do mais nobre dos sentimentos, o amor.